Traduit de l'anglais
par Vanessa Rubio

Maquette : Karine Benoit

ISBN : 978-2-07-057438-4
Titre original : *Help ! It's parents day at DSA*
Publié avec l'autorisation de Grosset & Dunlap,
une division de Penguin Young Readers Group,
© Kate McMullan, 2004, pour le texte
© Bill Basso, 2004, pour les illustrations
© Éditions Gallimard Jeunesse, 2007, pour la traduction
N° d'édition : 16023
Loi n° 49-956 du 16 juillet 1949 sur les publications destinées à la jeunesse
Dépôt légal : avril 2007
Imprimé en Espagne par Novoprint (Barcelone)

Kate McMullan

L'ÉCOLE DES MASSACREURS DE DRAGONS 10

Un dragon
à l'école

illustré par Bill Basso

GALLIMARD JEUNESSE

Plan de l'École des Massacreurs de Dragons

Tour Est

Village de Doidepied

Ascenseur
de Messire
Mortimer

Chemin du
Chasseur

Dortoir

Le Vieux Poiluche
(dragon d'entraînement)

Douves
(anguilles à volonté)

Dragonus orus est bonus

EMD

BEURK!

Pont-levis

Celui-ci est pour toi, Peter Ricci,
K. McM.
En souvenir de toutes les journées
portes ouvertes que j'ai vécues,
B. B.

Chapitre un

Je n'aime pas le cachot, ça me donne la chair de poule, déclara Wiglaf en frissonnant tandis qu'il s'enfonçait dans le passage souterrain de l'École des Massacreurs de Dragons avec Angus et Érica.

— Vois le bon côté des choses, Wiggie. Mordred a dit qu'une surprise nous y attendait, lui rappela son amie.

— Ouais, acquiesça Angus, mais, en général, les surprises de mon oncle sont toujours de mauvaises surprises.

— Bienvenue ! leur lança Dame Lobelia qui accueillait les élèves dans le cachot.

Ils trouvèrent un petit coin où s'asseoir sur le sol de pierre glacé.

— Bienvenue au théâtre de Lobelia la Merveilleuse !

— Où ça ? chuchota Wiglaf.

— Je devrais plutôt dire bienvenue dans le futur théâtre de Lobelia la Merveilleuse, corrigea-t-elle. Car j'ai embauché toute une équipe d'ouvriers, qui travaillent d'habitude ici comme professeurs stagiaires, pour transformer ce sinistre cachot en un magnifique théâtre. Un théâtre auquel mon frère Mordred souhaite donner mon nom !

Elle porta la main à son cœur.

— Je vais maintenant vous dévoiler la surprise que Mordred vous réserve. Son messager, Yorick, est allé porter des invitations à tous vos parents afin de les convier à la première journée portes ouvertes de l'EMD !

« Une journée portes ouvertes ? s'étonna Wiglaf. C'est ça, la surprise ? »

Il n'avait pas revu ses parents depuis le jour où il avait quitté Pinwick et la masure familiale surpeuplée, en compagnie de Daisy, son cochon apprivoisé, pour venir ici, à l'École des Massacreurs de Dragons.

Lobelia sourit.

— Je vais vous faire passer l'une des invitations.

Angus se leva pour prendre le rouleau de parchemin des mains de sa tante. Ses deux amis lurent par-dessus son épaule :

Oyez, oyez !
Vous êtes conviés
à la journée portes ouvertes de l'EMD
le jour de la Saint-Glinglin
à neuf heures du matin.
Venez admirer nos splendides
installations et visiter le château
de l'EMD !
Venez ronfler pendant tout un cours
en compagnie de votre enfant.
Venez faire un don substantiel à l'EMD !
P. S. : Surtout n'oubliez pas votre bourse
bien garnie !

— Ah, j'ai compris, murmura Angus. Il
s'agit d'un nouveau stratagème d'oncle
Mordred pour gagner de l'argent.

Il soupira.

— J'adore ma mère, mais je n'ai aucune
envie qu'elle mette les pieds ici.

Wiglaf hocha la tête. Il aimait beaucoup
ses parents, lui aussi, mais ils risquaient de
lui faire honte. Sa mère portait en perma-
nence une corbeille à pain en guise de chapeau, au cas où le ciel lui tomberait sur la
tête, ce qui, elle en était convaincue, ne
manquerait pas d'arriver un jour. Son père,
sacré champion du concours de rots de Pinwick, ne ratait jamais une occasion de faire
une démonstration de son talent. Qu'allaient
penser les autres élèves en les voyant ?

— C'est la guigne, fit Érica à voix basse.
Papounet et Mamounette vont forcément
laisser échapper un indice et tout le monde
connaîtra mon secret.

Wiglaf et Angus étaient les seuls élèves
de l'EMD à savoir qu'Érica était une fille.

Et pas n'importe quelle fille : une princesse ! Elle s'était déguisée en garçon afin de pouvoir étudier à l'EMD et de réaliser son rêve : devenir un célèbre Massacreur de Dragons comme son idole, Messire Lancelot. Tous les autres élèves de l'EMD la prenaient pour un garçon et l'appelaient Éric.

Wiglaf passa l'invitation dans le rang suivant et leva la main.

— Dame Lobelia, quand tombe la Saint-Glinglin ?

— Dans deux semaines jour pour jour. Mais, moi aussi, j'ai une surprise pour vous. Je vous ai écrit une formidable petite pièce à jouer devant vos parents pour les portes ouvertes. Une pièce où chaque élève tiendra un rôle ! C'est l'histoire d'un preux chevalier.

— Oooh, pourvu que je sois le chevalier, pourvu que je sois le chevalier, psalmodia Érica.

— Ma pièce s'ouvre sur un chœur de paysans...

Elle s'interrompit.

— Ah, j'ai oublié de vous dire que c'était une comédie musicale. Les paysans racontent en chanson l'histoire d'un méchant dragon qui a capturé une princesse de sang royal. Ça donne ceci :

Tralaïtou laïtou lala !
Tralaïtou laïtou lalère !
Nous sommes des paysans superstitieux,
Mais nous savons quand même
un truc ou deux !

« Des paysans superstitieux ? » pensa Wiglaf. À croire que Dame Lobelia connaissait ses parents ! Molwena jetait sans arrêt du sel par-dessus son épaule pour conjurer le mauvais sort. Quant à Fergus, il était persuadé que les bains rendaient fou, si bien qu'il n'avait jamais trempé un orteil dans l'eau de toute sa vie. Les autres allaient sûrement se moquer de lui parce qu'il sentait atrocement mauvais !

— Il y a une grande scène de bataille à la fin, poursuivit Lobelia. Le chevalier tue le dragon et sauve la princesse. Puis les valeureux compagnons du chevalier et les dames d'honneur de la princesse dansent le quadrille de la jarretière. Et ils vivent tous heureux et ont beaucoup d'enfants !

— Je viens d'avoir un affreux pressentiment, chuchota Érica. Et si Lobelia me demande de tenir le rôle de la princesse ? Pas question que je joue une nunuche pareille !

— Frère Dave, le bibliothécaire, a veillé bien des nuits afin de copier un texte pour chacun d'entre vous, expliqua Lobelia. Lorsque je vous appelle, levez-vous et venez le chercher. Commencez à apprendre votre texte dès ce soir, les garçons ! Et les chansons, aussi. La première répétition aura lieu demain après le déjeuner. Les élèves suivants joueront les paysans : Lanceplouc, Camenbot, Galecrade, Gauffrin…

La liste était sans fin. Wiglaf s'attendait à être appelé d'une minute à l'autre. Car, après tout, il venait d'une famille de paysans.

— Si je joue le chevalier, je pourrai mettre la nouvelle armure que j'ai commandée sur le catalogue de Messire Lancelot, murmura Érica.

— Baratinus, poursuivit Lobelia, Grabouillon, Tarinos, Carapuce et Éric.

— C'est bizarre. J'ai cru entendre mon nom…

— Oui, je t'ai bien appelé, Éric, confirma Lobelia. Viens prendre un texte.

— Vous voulez dire que… je suis un paysan ? Mais ce n'est pas juste ! J'aurais dû être le preux chevalier !

— Désolée. Mais n'oublie pas qu'il n'y a pas de petit rôle, que des petits acteurs.

Érica prit son texte, puis rejoignit ses amis et se rassit, bouillant de rage.

Lobelia consulta sa liste.

— Le dragon sera joué par Quentin, Corentin, Martin et Bertin Crétin.

— OUAIS ! s'exclamèrent ces quatre brutes de frères Crétin. Vive les dragons !

— Vous n'aurez qu'à suivre sur le même texte, proposa Lobelia en le tendant à Corentin. Vous n'avez pas beaucoup de répliques. Bon, les valeureux compagnons du chevalier seront Gorgouille, Filedru, Poissefort, Grippesavate, Ronflure…

Wiglaf et Angus étaient tout ouïe, mais Dame Lobelia ne prononça pas leurs noms.

Angus était ravi.

— Elle nous a oubliés. On est dispensés de faire les guignols dans cette stupide pièce de théâtre !

Wiglaf espérait qu'il se trompait. Il n'avait jamais joué dans une pièce et il avait très envie de participer à celle-ci, même en tenant un tout petit rôle.

— Maintenant, la princesse de sang royal, annonça Lobelia avec un grand sourire. Pour ce rôle très important, comportant de nombreuses scènes dansées et chantées, j'ai choisi…

Tous les garçons retenaient leur souffle.

— … mon neveu, Angus !

— Quoi ? s'écria celui-ci. Pas question !

— Oh que si.

— Non, je ne veux pas, tante Lobelia.

— Nous sommes dans une école de garçons, Angus, tenta de le raisonner sa tante. Il faut bien que certains jouent les rôles féminins, un point c'est tout.

— Et si je jouais un paysan ? proposa-t-il, désespéré. Je ferais un super paysan, je t'assure.

Il se mit à chantonner :

— Tralalaïtou !

Lobelia l'ignora.

— C'est juste pour te venger de ma mère ! protesta Angus.

— Mais non ! Pourquoi ferais-je une chose pareille, enfin ?

— Parce que c'est ta grande sœur et qu'elle n'arrêtait pas de te commander quand vous étiez petites.

— Et elle continue ! précisa Lobelia.

— Peut-être, mais ce n'est pas une raison pour t'en prendre à moi ! s'indigna Angus. Ce n'est pas juste !

— Ne t'en fais pas, Angus, lui chuchota Wiglaf. On va trouver un moyen pour te tirer de là.

— Les élèves suivants joueront les dames d'honneur : Culottard, Percevole…

Wiglaf espérait toujours entendre son nom, mais il ne venait pas. Il ne demandait pas l'un des rôles principaux — après tout, il était le plus petit de l'école, il ne ferait donc pas grande impression sur scène —, mais il méritait un petit rôle. Dame Lobelia ne l'avait tout de même pas complètement oublié ?

— Et enfin, dit-elle justement, dans le rôle du preux chevalier, nous aurons… Wiglaf !

L'intéressé en resta bouche bée.

— Moi ? Le preux chevalier ?

Et comment ! Il bondit pour s'emparer de son texte. Ses parents seraient drôlement fiers de voir que leur fils était la vedette de la pièce !

— Félicitations, Wiglaf, le complimenta Lobelia en lui tendant le parchemin.

— Merci, fit-il, radieux.

Érica s'efforçait de ne pas montrer qu'elle était morte de jalousie.

— Puisque je ne joue pas le chevalier, je suis contente que ce soit toi, Wiggie.

— Dame Lobelia ? intervint Baratinus. Vous ne nous avez pas donné le titre de votre pièce.

— Je l'ai intitulée *Les Aventures du minuscule Messire Petitcul*, répondit Lobelia en se retournant pour adresser un clin d'œil à Wiglaf. Toi qui es tout petit, ce rôle est fait pour toi !

Chapitre deux

Hé, ho, Petitcul !

Corentin Crétin avait crié à travers la salle à manger de l'EMD. Tous les garçons se tordirent de rire.

— Très drôle, murmura Wiglaf.

Les trois amis faisaient la queue pour le petit déjeuner.

— Je n'arrive pas à croire que je vais jouer un paysan, soupira Érica.

— Et moi une princesse, renchérit Angus en prenant une assiette. Tu veux échanger ?

— Non merci, je préfère encore être un paysan qu'une princesse.

— Je ne sais pas ce qui est le pire, grommela Angus, cette stupide pièce ou la venue de ma mère. Elle va vouloir commander tout le monde, ça va être terrible !

— Bah, ce n'est pas si grave d'être autoritaire, répondit Érica en avançant dans la file. Papounet est gentil, mais ce n'est pas une lumière, si vous voyez ce que je veux dire. Et Mamounette ne peut pas se taire cinq secondes. Un vrai moulin à paroles.

— Ma mère dégage la même odeur que l'énorme marmite de soupe au chou qu'elle prépare chaque matin, avoua Wiglaf. Et mon père raconte des blagues lamentables.

Il espérait que ses amis allaient lui répondre que ce n'était pas si grave.

Mais Angus s'écria :

— Mon pauvre ! Le chou, ça pue vraiment !

— Les blagues nulles, c'est la honte, enchaîna Érica.

Wiglaf avala sa salive. Fergus et Molwena étaient visiblement pires que tous les autres parents. Il allait mourir de honte à la journée portes ouvertes !

Ça y est, ils étaient arrivés au bout de la file du petit déjeuner.

— Qu'est-ce que c'est que ça ? demanda Érica tandis que Potaufeu, le cuisinier, déposait de gros tas carbonisés dans leurs assiettes. Ça m'a l'air encore plus mauvais que les anguilles.

— Des brioches à la vase de douve. Je n'ai pas pu faire mieux, je n'attrape presque plus d'anguilles ces derniers temps.

Il se caressa pensivement la barbe.

— J'ai l'impression que des braconniers pêchent mes anguilles dans les douves.

Wiglaf et Angus échangèrent un regard inquiet. Ils avaient récemment recueilli un bébé dragon. Un bébé dragon qui adorait barboter dans les douves du château en se gavant d'anguilles. Un bébé dragon qui était censé rester sagement dans la bibliothèque avec Frère Dave, mais qui s'échappait souvent.

— C'est complètement calciné, protesta Angus en observant les deux brioches qui tombaient avec un bruit sourd dans son assiette.

— La croûte seulement, répliqua Potau-feu. Au suivant !

— On ira faire un tour à la bibliothèque un peu plus tard dans la journée, glissa Wiglaf à Angus tandis qu'ils se dirigeaient vers la table des première année. Il faut qu'on aille voir un truc spécial… qui ne se trouve pas dans les livres !

— Frère Dave ?

Wiglaf poussa la porte de la bibliothèque. Le moine s'était assoupi en recopiant le texte de la pièce, la tête entre les bras. Verso le petit dragon dormait à ses pieds.

En entendant la voix de Wiglaf, il sortit de sous le bureau, lui sauta au cou et s'écria :

— Man-man !

L'apprenti Massacreur caressa les écailles brillantes de son long cou vert. Wiglaf était la première personne que Verso avait aperçue en sortant de son œuf et il le prenait pour sa mère.

Le petit dragon s'assit ensuite devant Angus et lui tendit la patte.

— Hé ! Les récompenses, il faut les mériter ! Pas bouger, Verso, ordonna-t-il.

L'animal se figea comme une statue de pierre.

Angus attendit un peu avant de reprendre :

— Petit trot !

Le dragon se mit à trottiner autour de lui.

— Feu, Verso !

Le dragon souffla une flamme par le nez. Woush !

— Bravo ! le félicita Angus en fouillant dans sa poche à la recherche d'une anguille.

Mais il ne trouva qu'une brioche calcinée qu'il avait gardée pour plus tard. Il la tendit à Verso qui l'engloutit… et la recracha aussitôt. Bong ! elle atterrit sur le crâne chauve de Frère Dave.

— Par le bonnet de saint Benoît ! s'exclama le moine en sursautant. Il existe des façons plus douces de réveiller un moine endormi qu'en lui lançant une pierre, tout de même !

— Désolé, Frère Dave, s'excusa Angus. On n'a pas fait exprès. Et il s'agit d'une brioche, pas d'une pierre.

Verso s'approcha du bibliothécaire en sautillant et il lui lécha le crâne d'un grand coup de langue rose fourchue.

Puis il revint vers Wiglaf et se coucha sur le dos pour qu'il caresse son ventre doux et blanc. Le bébé dragon ronronnait comme un bienheureux.

— Frère Dave ? reprit Wiglaf sans cesser de le gratouiller. Nous avons de bonnes raisons de croire que Verso se baigne dans les douves du château et mange toutes les anguilles.

— Est-ce vrai, Verso ? s'étonna le moine.

Le dragon se contenta de ronronner de plus belle.

— Il faut qu'il reste ici toute la journée,

il n'a le droit de sortir se dégourdir les ailes que la nuit, sinon Mordred risque de le voir.

— Et si Verso fait des siennes lors de la journée portes ouvertes ? intervint Angus. Vous imaginez la cata ?

— N'ayez point d'inquiétude, mes petits amis, les rassura le moine. Je vous promets de ne point quitter ce dragonnet des yeux.

— Merci, Frère Dave, fit Wiglaf avant de filer à la répétition avec Angus.

En entrant dans le cachot, ils constatèrent qu'une grande estrade en bois avait été dressée au fond de la pièce pour leur servir de scène.

— Écoutez-moi bien, voici la règle d'or des comédiens, disait Lobelia. Quoi qu'il arrive, le spectacle continue. Peu importe que vous ayez oublié votre réplique ou perdu votre perruque, le spectacle continue. Compris ?

Tous les apprentis Massacreurs hochèrent la tête.

— Parfait.

Lobelia sourit.

— Allons-y pour la première lecture. Acte I, scène 1. Les paysans, c'est à vous !

Les paysans entrèrent en scène, Érica en tête.

— Vous devez fredonner lorsque Messire Petitcul et ses valeureux compagnons entrent côté cour, ordonna Lobelia.

Wiglaf et ses valeureux compagnons montèrent donc sur scène. Lobelia leur tendit des balais.

— Voici vos fidèles destriers. Montez en selle et chevauchez fièrement.

Wiglaf se sentait affreusement ridicule, à califourchon sur son balai, à caracoler sur scène comme s'il s'agissait d'un cheval.

— Au galop, Petitcul, ordonna Lobelia. Bien, à présent, les paysans peuvent entonner leur chanson.

Les paysans se mirent donc à chanter :

Tralaïtou laïtou lala !
Tralaïtou laïtou lalère !

Nous sommes des paysans superstitieux,
Mais nous savons quand même un truc
ou deux !
De grâce, mettez pied à terre, Messires,
Et montez dans notre charrette,
au plaisir,
Nous vous conterons l'histoire
De la princesse et du dragon noir !

— Messire Petitcul ? Les valeureux compagnons ? Lorsque vous entendez le mot « terre », descendez de vos destriers, indiqua Lobelia.

Elle feuilleta son texte.

— Bon, où en étais-je ?

— Un paysan demande au chevalier comment il s'appelle, répondit Érica. C'est là que le chevalier chante sa première chanson.

— Oui, c'est ça. Merci, Éric.

Au signal de Lobelia, Wiglaf se redressa et se mit à chanter d'une petite voix :

Sous le nom de Messire Petitcul
Dans tout le pays je suis connu
Pour avoir massacré mille dragons.
Ne vous fiez pas à mon nom.
Je ne suis certes pas grand,
Mais je suis fort vaillant !

Les valeureux compagnons reprirent en chœur :

Il n'est certes pas grand,
Mais il est fort vaillant !

— Mets-y plus de voix, la prochaine fois, Wiglaf, recommanda Lobelia. Très bien, les paysans, continuez.

Érica conduisit le chœur des paysans :

Tralaïtou laïtou lala !
Tralaïtou laïtou lalère !
Il était une fois une princesse,
Si belle avec ses longues tresses,
Qu'un dragon l'emmena dans sa grotte.

Il lui demanda : « Tu fais la popote ? »
La princesse répliqua : « Impossible,
ma foi.
Jamais princesse digne de ce rang
Ne toucha casserole ou coutelas.
Nous avons pour cela servantes
et servants. »

— Bravo ! À toi, Angus. Au mot « princesse », tu entres en scène et tu récites ton texte. Les frères Crétin, vous entrez au mot « dragon » en dansant comme je vous l'ai montré.

Les paysans reprirent leur chanson :

Tralaïtou laïtou lala !
Tralaïtou laïtou lalère !
Il était une fois une princesse,
Si belle avec ses longues tresses…

Angus entra en scène en traînant les pieds.
— Oh, la jolie princesse ! sifflèrent certains garçons.

— La ferme ! répliqua Angus.

— Chut ! les coupa Lobelia.

Son neveu lui jeta un regard noir, mais elle se tourna vers les paysans pour leur ordonner de poursuivre :

Qu'un dragon l'emmena dans sa grotte…

Les frères Crétin entrèrent à la queue leu leu. Ils se tenaient par la taille en levant bien haut les pieds.

— En rythme, dragon ! ordonna Lobelia. Patte gauche, Patte droite !

— Ouille ! râla Quentin. Corentin m'a donné un coup de pied !

— C'est pas moi, c'est Martin !

Cela dégénéra aussitôt en bagarre.

— Dragon Crétin, on se calme ! tonna Lobelia. Angus, à toi !

Angus se mit à chanter du bout des lèvres :

Dragon aux belles moustaches…

— Écailles ! souffla Érica.

— Merci, Éric.

Lobelia fronça les sourcils.

— Tu as déjà vu un dragon avec des moustaches, Angus ? Certainement pas !

— Je veux jouer un paysan ! supplia Angus. Je t'en prie, tata !

Lobelia croisa les bras.

— Il n'en est pas question.

Chapitre trois

Gaaaarde-à-vous !

Le directeur entra dans le réfectoire de l'EMD, sa cape en velours rouge flottant derrière lui et un bloc-notes à la main. Tous les élèves se levèrent.

— Plus que dix jours avant la journée portes ouvertes. Oh, ça va être fantastique !

Mordred sourit, découvrant une dent en or scintillante.

— Entre les dons, les subventions, les règlements des parents qui n'ont pas encore payé les frais de scolarité, mes caisses vont déborder !

Ses yeux violets étincelaient à la pensée de tout l'or qu'il allait amasser.

Les frais de scolarité ! Wiglaf fronça les sourcils. Ils s'élevaient à sept sous… qu'il n'avait toujours pas donnés.

Mordred consulta son bloc-notes.

— Cette journée mémorable s'ouvrira au son d'un hymne composé par le vainqueur du Grand Concours de l'hymne d'accueil de la journée portes ouvertes.

— Ce sera moi, se promit Érica en sortant son carnet pour commencer à écrire.

Le directeur poursuivit :

— Nous aurons ensuite le plaisir d'assister à différents événements : les élèves de Messire Mortimer nous offriront une démonstration de Traque des Cracheurs de feu, puis l'équipe du professeur Baudruche nous fera l'honneur de nous montrer mille façons de massacrer un dragon, enfin la classe de Maître Sans-Tête nous fera une démonstration de Maniement des armes. Bien entendu parents et élèves bénéficieront de tout le temps qu'il leur faudra pour aller faire un tour à l'échoppe officielle de souvenirs de l'EMD où ils pourront acheter de magnifiques cadeaux à rapporter chez eux.

Wiglaf pensait à ses parents. C'était sûr, ils allaient lui faire honte. Mais il avait pourtant hâte de les voir. Il imagina les yeux injectés de sang et la barbe jaunâtre de son père, toujours pleine des miettes de son dernier repas. Et le gros grain de beauté poilu que sa mère portait sur le menton…

– Que pensez-vous de mon hymne d'accueil ? demanda Érica à ses amis.

Elle se mit à chuchoter :

Bonjour, bonjour ! Bienvenue à l'EMD !
Ouvrez grand les yeux, parbleu !
Nous allons vous montrer
Ce que nous savons faire de mieux !
C'est sûr, c'est sûr, vous allez apprécier !
Bienvenue, bienvenue à l'EMD !

– Pas mal, commenta Angus.

— Vous pouvez vous replonger dans vos assiettes, annonça Mordred en refermant son bloc-notes. Tous sauf Wiglaf.

Ce dernier resta pétrifié tandis que le directeur se dirigeait vers la table des première année.

— Misérable ! tonna-t-il. Tu n'as pas payé un sou de tes frais d'inscription !

— Non, Messire, c'est exact.

En réalité, il passait pratiquement toutes ses soirées à faire la plonge dans les cuisines afin de rembourser sa dette. Mais, bizarrement, Potaufeu n'avait jamais jugé bon d'expliquer leur arrangement à Mordred.

— Eh bien, mon garçon, si je n'ai pas ces sept sous à la fin de la journée portes ouvertes, je te flanque dehors !

— Oncle Mordred, tu ne peux pas faire ça ! protesta Angus.

— Occupe-toi de tes oignons, neveu ! répliqua le directeur en s'éloignant.

Wiglaf avala sa salive. Comment ses parents allaient-ils bien pouvoir dénicher

sept sous d'ici la journée portes ouvertes ?
Adieu, l'EMD !

— Ne t'en fais pas, Wiggie, le consola
Érica. On va trouver une solution. Il nous
reste quinze jours. Pas question que tu
partes d'ici.

La semaine suivante, de toute façon,
Wiglaf n'eut pas le temps de s'inquiéter, car
Lobelia leur fit répéter la pièce tous les
jours. Il avait appris son texte et ses chansons avec l'aide d'Érica. Elle connaissait
son rôle par cœur. Le sien et tous les autres.
Si quelqu'un avait le moindre trou de
mémoire, Érica lui soufflait son texte
jusqu'à ce qu'il lui revienne.

L'après-midi, après le cours de Traque
des Cracheurs de feu et l'Entraînement des
Massacreurs, les élèves devaient récurer les
salles de classe, les couloirs et le réfectoire.
Mordred tenait à ce que tout soit impeccable
pour la venue des parents. Ce n'est donc
que le soir, couché dans son lit de camp du

dortoir des première année, que Wiglaf se remémorait les sept sous qui lui manquaient.

— Ne t'en fais pas, Wiggie, lui répétait Érica. On va trouver une solution.

Mais elle disait la même chose à Angus lorsqu'il pleurnichait de devoir tenir le rôle d'une fille. Et, jusque-là, il était bien obligé de monter sur scène tous les jours pour jouer la princesse.

Un soir, juste avant l'extinction des torches, Érica vint trouver Angus et Wiglaf.

— C'est le meilleur hymne que j'aie jamais écrit. Écoutez...

Vive les parents des Massacreurs !
Bravo, vous arrivez à l'heure !
Vous allez rencontrer nos professeurs
Pour votre plus grand bonheur !
Nous allons vous montrer mille façons
De traquer, pister, massacrer un dragon !
Vous allez voir comment, très chers parents,
À l'EMD, on apprend en s'amusant !

— C'est sûr, tu vas remporter le concours, affirma Wiglaf.

Il s'efforçait d'avoir l'air enthousiaste, mais le cœur n'y était pas. Il n'arrivait pas à se faire à l'idée qu'il risquait de devoir bientôt quitter l'école.

Au fil des jours, le cachot ressemblait de moins en moins à un cachot et de plus en plus au théâtre de Lobelia la Merveilleuse ! Un rideau rouge fermait la scène et le décor représentait un village de campagne ainsi qu'une grotte de dragon.

— Aujourd'hui, répétition en costume ! annonça Lobelia un après-midi. Toutes les tenues sont sur les cintres. Prenez celle qui est étiquetée à votre nom, habillez-vous et on commence !

Wiglaf était surexcité. Jamais encore il n'avait porté d'armure. Il attendit patiemment pendant que les autres se jetaient sur leurs costumes, puis il s'approcha de la tringle où ils étaient suspendus, cherchant des yeux une belle armure en argent étincelant. À la place, il trouva un petit machin en métal terne. Il était minuscule ! Comment allait-il pouvoir entrer dans un costume si petit ? Il devait y avoir une erreur.

Lobelia le rejoignit en proposant :

— Je vais t'aider à le mettre.

Elle prit la cuirasse et l'attacha sur le torse de Wiglaf en serrant bien.

— Ouille !

— Rentre le ventre, ordonna-t-elle en serrant encore. Voilà !

Wiglaf pouvait à peine respirer.

— Je sais qu'il est petit, reconnut-elle en fixant les jambières. Mais Messire Petitcul doit porter un costume aussi étriqué que possible pour avoir l'air tout tout petit, tu ne crois pas ?

— Mouiff, couina Wiglaf.

— Parfait !

Lobelia lui enfonça un minuscule casque sur la tête et fila aider l'un des valeureux compagnons.

Le casque lui broyait le crâne ! Et la grande plume blanche lui retombait dans la figure.

— Oh, le chevalier a fière allure ! commenta Corentin Crétin.

— Messire Minus Petitcul ! brailla Martin.

— C'est bon, les coupa Wiglaf.

Il aperçut alors Angus qui portait une perruque avec de longues tresses blondes, surmontée d'une couronne. Lobelia était en train de boutonner sa robe mauve qui lui arrivait aux pieds.

— C'est trop cruel, tata ! gémit le pauvre garçon.

— N'importe quoi ! répliqua sa tante en faisant bouffer son col en dentelle. Tu fais une ravissante princesse, n'est-ce pas les garçons ?

Chapitre quatre

BING ! BANG !

– Debout, les gars ! Réveillez-vous !

Potaufeu se tenait à la porte du dortoir des première année, et cognait un chaudron avec sa louche à servir la soupe.

– Demain, c'est la journée portes ouvertes. Donc, aujourd'hui, c'est le jour de…

– La Saint-Glinglin ? proposa Torblad.

– Non, le jour du bain ! annonça le cuisinier.

Un silence de mort se fit dans le dortoir. Même Wiglaf, qui avait pourtant déjà pris un bain dans sa vie, n'en revenait pas.

— Ordre de Mordred. Vous ne pouvez pas recevoir vos parents dans un tel état de crasse ! Alors prenez une serviette et filez dans la cour du château. Et que ça saute !

Sur ces mots, Potaufeu s'en fut réveiller les élèves de deuxième et troisième année.

Torblad éclata en sanglots.

— Tout le monde sait que ça rend fou de prendre des bains !

— C'est de la superstition, le rassura Wiglaf. La preuve, j'en ai déjà pris un.

— Vous voyez ? La preuve ! Pas question que je prenne un bain, je ne veux pas finir comme Wiglaf !

— Oh, arrête de pleurnicher, Torblad le Terrible ! le coupa Érica, agacée.

Les première année fouillèrent sous leurs lits de camp pour dénicher une serviette et des sous-vêtements propres. Leurs affaires sur le bras, Angus et Wiglaf se dirigèrent vers la porte.

— Érica ? chuchota Wiglaf. Comment tu vas faire ?

— Oui, c'est vrai, ça, murmura Angus. Tu es… Tu es… enfin, tu sais.

— Je sais, acquiesça-t-elle. Mais j'avais tout prévu. J'ai un mot de mes parents.

Elle déplia un parchemin où il était écrit :

Cher directeur de l'École des Massacreurs de Dragons,

Éric est autorisé à suivre le cours de gym et à pratiquer tous les sports, mais jamais au grand jamais il ne doit prendre de bain. JAMAIS. Quoi qu'il arrive.

Bien sincèrement,

Ses parents, Barbara et Kenneth

P.-S. : Ce n'est pas une blague !

— Mince, j'aurais dû faire pareil, grommela Angus tandis qu'ils sortaient dans la cour.

— Dispensé de bain ? fit Potaufeu en parcourant le parchemin. Bon, très bien.

Érica se tourna vers ses amis.

— Je vais aller faire un tour à la bibliothèque, pour voir un truc…

— Bonne idée, répondit Angus tandis qu'elle s'éloignait.

— Allez, les gars !

Potaufeu conduisit Angus et Wiglaf à une énorme marmite qui chauffait sur un feu ronflant. Il remua l'eau bouillante avec un long bâton.

— Allons-y !

— Nom d'un dragon ! souffla Wiglaf en voyant l'eau fumante. On va s'ébouillanter !

— Mais non, ça, c'est pour vos uniformes, le rassura le cuisinier. Déshabillez-vous, mettez chausses et tuniques là-dedans, et plongez dans les douves.

— Les douves ? Mais l'eau est glacée. Pleine de vase. Et encore plus sale que nous ! protesta Angus.

— C'est sûr, convint Potaufeu, mais j'obéis aux ordres de Mordred. Hop, au bain !

Les deux apprentis Massacreurs ôtèrent leurs uniformes et les jetèrent dans le chaudron bouillonnant. Puis, enveloppés dans

leurs minces serviettes, ils coururent jusqu'au pont-levis. Des dizaines d'élèves étaient déjà là, à grelotter, de l'eau verte et puante jusqu'à la taille.

— On saute ensemble à trois ? proposa Wiglaf.

Ils pendirent leurs serviettes à une branche d'arbre et se mirent à compter :

— Un… deux… deux et demi… trois !

Et ils plongèrent.

Brrr… L'eau était glacée ! Wiglaf entreprit de se frictionner un bras. Il attaquait l'autre bras lorsqu'il sentit quelque chose lui chatouiller les jambes. Des herbes aquatiques, sans doute. Il voulut les écarter, mais sa main rencontra quelque chose de dur… avec des écailles.

— Angus… hum… j'ai senti un truc.

— C-c-c'est v-v-vrai ? bégaya Angus qui claquait des dents.

Il s'approcha de son ami puis plongea la main dans l'eau et écarquilla les yeux.

— M-m-moi aussi-si-si.

Une tête verte surgit de l'eau juste sous leur nez. Le dragon eut à peine le temps de dire « Man… » que Wiglaf s'était jeté sur lui pour lui replonger la tête sous l'eau.

Quelques secondes plus tard, Verso réapparut, ses yeux jaune et rouge tout brillants.

Wiglaf connaissait bien cet air-là. Il avait envie de jouer. Il se pencha pour remplir sa gueule d'eau et la recracha sur les deux amis.

— Ça suffit, Verso ! siffla Wiglaf d'un ton sec. Les autres risquent de te voir !

Verso replongea. Angus replia son bras pour se protéger le visage tandis qu'il l'aspergeait à nouveau.

— Qu'est-ce qui se passe ? voulut savoir Torblad, qui était de l'autre côté du pont-levis.

Wiglaf et Angus se jetèrent sur le dragonnet et l'enfoncèrent sous l'eau de tout leur poids.

— Rien du tout ! répondit Angus.

Mais Torblad les rejoignit en nageant comme un petit chien.

Le dragon jaillit du fossé juste devant lui.

— Aaaaaahhhhhhhhh ! hurla l'apprenti Massacreur, effaré.

Wiglaf bondit et força Verso à rentrer sous l'eau.

— Y a un problème ? demanda Corentin Crétin.

— Un monstre ! hurla Torblad. J'ai vu un monstre !

— Mais non, répliqua Corentin, tu perds la tête à cause du bain, c'est tout.

Sans cesser de brailler, Torblad remonta vite sur la rive.

— Angus ! cria Wiglaf en s'agitant dans l'eau pour tenter de dissimuler le dragon. Ta serviette, vite !

Angus barbota tant bien que mal dans la vase pour reprendre la serviette accrochée à la branche. Wiglaf la jeta sur la tête de Verso.

— Vite ! On va nager jusqu'à l'arrière du

château, décida-t-il. Viens avec maman, Verso.

À son grand soulagement, le petit dragon les suivit.

— Regardez ! s'écria Torblad, grelottant sur la berge. Une serviette qui nage. Oh, pestouille ! Je perds complètement la boule !

Wiglaf, Angus et Verso ne s'arrêtèrent qu'une fois cachés de l'autre côté du château.

— Ouf ! Il n'y a personne en vue ! constata Wiglaf, à bout de souffle.

— Assis, Verso ! ordonna Angus.

Le petit dragon obéit immédiatement. Seule sa tête verte sortait des eaux marécageuses des douves. Ses yeux jaune et rouge fixaient son maître.

Angus soutint son regard en décrétant fermement :

— C'EST MOI QUI COMMANDE. Demain, c'est la journée portes ouvertes, et nous comptons sur toi pour être sage, Verso.

Le dragon ne remua pas un cil.

Wiglaf aperçut alors Érica qui accourait sur la rive.

— Verso a disparu ! Il n'est pas à la…

Elle s'interrompit en apercevant la tête du dragon qui dépassait de l'eau.

— … bibliothèque.

Angus gardait les yeux rivés sur lui.

— Demain, poursuivit-il, je vais t'apporter ton plat préféré pour le dîner : des anguilles de douve à la bouillasse de douve avec des herbes de douve assaisonnées à la vase de douve, parsemées de mousse de douve !

Le petit dragon s'en léchait les babines d'avance.

— Mais seulement à condition que tu restes sagement à la bibliothèque TOUTE la journée. Compris, Verso ?

Le dragonnet hocha la tête, un filet de bave dégoulinant de la gueule.

— Et maintenant, file à la bibliothèque et que ça saute !

Le dragon bondit hors de l'eau. Il déplia ses ailes et s'éleva au-dessus du fossé.

Wiglaf sentit un courant d'air tandis qu'il s'envolait en direction de la tour de la bibliothèque.

— Il a compris la leçon, hein? s'inquiéta Angus. Je crois qu'il a compris.

— J'espère, murmura Wiglaf.

Mais il se demandait s'ils pouvaient vraiment faire confiance à un bébé dragon.

Chapitre cinq

Le grand jour était arrivé. La journée portes ouvertes… peut-être la dernière qu'il passerait à l'École des Massacreurs de Dragons. Wiglaf eut du mal à enfiler son uniforme. Il était trop juste, sans doute avait-il rétréci au lavage.

– Ça m'inquiète, lui confia Angus, qui essayait de plaquer ses cheveux. Je n'ai pas vu ma mère depuis longtemps. J'espère qu'elle ne va pas trouver que j'ai grossi.

Il rentra son ventre.

– Moi aussi, je m'inquiète. Et d'une parce que mes parents vont venir ici, et de deux, parce que je risque de devoir repartir avec eux.

— Je suis sûre que Mamounette va faire une gaffe, ronchonna Érica. Mordred comprendra que je suis une fille et il me mettra à la porte.

— Bienvenue au club, soupira Wiglaf. Mes parents n'auront jamais sept sous à lui donner.

— Arrêtez ! s'écria Angus. Je ne vois pas comment je pourrais survivre ici sans vous.

Les trois amis, abattus, se rendirent dans la cour du château. Une affiche était placardée sur un arbre.

Journée portes ouvertes de l'EMD
Programme

Accueil des parents au son de l'hymne vainqueur du Grand Concours

Visite guidée du campus en compagnie de Mordred le Merveilleux

Ouverture de l'Échoppe officielle de souvenirs de l'EMD (les parents pourront

passer l'après-midi à faire leur shopping
ou bien assister aux cours avec leur fils)
Pique-nique
Grande comédie musicale des Massacreurs
Cérémonie des adieux dans la cour
du château.

Alors qu'ils déchiffraient le programme, Mordred surgit dans la cour.

— Wiglaf ! Tu n'as pas oublié que tu me devais sept sous ? Si je ne les ai pas ce soir, tu peux faire ton paquetage !

Le cœur de l'apprenti Massacreur se serra.

— Je ferais bien de monter préparer mes affaires dès maintenant, murmura-t-il tristement.

— Ne dis pas ça ! protesta Angus.

— On va trouver une solution, promit Érica.

— J'espère, soupira Wiglaf. Mais si c'est mon dernier jour à l'EMD, autant en profiter au maximum !

Il jeta un regard inquiet vers la tour de la bibliothèque.

— Pourvu que Verso soit sage.

— Gaaaarde-à-vous ! ordonna Mordred, debout sur le perron du château.

Il avait mis sa plus belle cape en velours. Lobelia était à ses côtés, vêtue d'une longue robe bleue assortie à son grand chapeau pointu. Les professeurs — Messire Mortimer, le professeur Baudruche, le docteur Sloup et Maître Sans-Tête — se tenaient derrière eux.

— Voici venu le grand jour, commença Mordred. Je vous ai à l'œil, petits vandales malfaisants, si jamais j'en prends un…

Une sonnerie de trompettes résonna dans les airs.

— Par les culottes du roi Ken ! s'exclama le directeur en voyant un carrosse doré tiré par deux pur-sang blancs comme neige entrer dans la cour du château. Qu'est-ce que c'est que ça ?

— Comme de bien entendu, mes parents

sont les premiers à arriver, grommela Érica.

— Ce carrosse est en or massif ! s'extasia Mordred, les yeux exorbités. La journée portes ouvertes du Lycée des Parfaits Chevaliers a sans doute aussi lieu aujourd'hui. Ces parents ont dû se tromper…

Toute l'assemblée retint son souffle. L'équipage venait de s'arrêter au beau milieu de la cour. Un valet de pied sauta à terre pour ouvrir la porte du carrosse. Une femme aux longues boucles brunes surmontées d'une énorme couronne en or en descendit.

La reine agita la main en souriant.

— Bonjour, chers sujets ! Ce n'est que nous, la reine Barb et le roi Ken. Ne vous agenouillez pas… Alors, où est mon petit trésor ?

Elle balaya les environs du regard sans cesser d'agiter majestueusement la main.

— Mamounette est arrivée et elle a envie d'un gros baiser !

Un homme plus âgé, chevelure et barbe blanches, sortit à son tour du carrosse. Il portait une sorte de grosse toque en fourrure posée de travers sur le sommet de son crâne.

— Par ma barbe, c'est petit pour un terrain de golf, commenta-t-il.

— C'est une école, Kenny. Nous sommes venus voir Ér…

— Mamounette ! s'écria Érica avant que sa mère puisse prononcer son prénom en entier. Papounet !

Elle se jeta à leur cou et les serra dans ses bras.

Mordred dévala les marches du perron pour venir les saluer. Tendant un pan de sa cape sur le côté, il s'inclina en une gracieuse révérence… et se pencha si bas qu'il se cogna le front par terre.

— Bienvenue ! Bienvenue ! lança-t-il. C'est adORable de votre part d'être venus.

— Par ma barbe, répondit le roi Ken.

— Messire, je vous présente mes parents, fit Érica.

— Je suis très OReux de faire votre connaissance, bafouilla le directeur de l'EMD. Très très OReux.

La reine Barb lui jeta à peine un regard.

— Voici donc ton école, mon cœur ? Pas très luxueux, à ce que je vois.

Elle serra Érica contre elle.

— Oh, le palais paraît tellement vide sans toi ! Ma petite fille me manque tellement !

Wiglaf serra les dents. Érica avait raison. Sa mère était à peine là depuis cinq minutes et elle avait déjà vendu la mèche.

— Ah, vous avez également une fille ? s'étonna Mordred sans comprendre. Et où va-t-elle à l'école ?

— Au Pensionnat des Petites Princesses, s'empressa de répondre Érica. Et elle s'y plaît beaucoup.

Puis elle tira sa mère par le bras.

— Viens, Mamounette, je vais te montrer le Vieux Poiluche, le dragon empaillé qui nous sert pour l'Entraînement des Massacreurs.

Elle l'éloigna du directeur.

— Par ma barbe, murmura le roi en trotti-
nant derrière elle.

Les autres parents commençaient à arriver. Parmi eux se trouvaient un homme et
une femme qui portaient le même T-shirt
« Doidepied, c'est le pied ! ». Torblad se
jeta dans leurs bras. Puis ce fut au tour d'un
couple costaud, qui fut salué par les cris des
frères Crétin.

— T'as vu tes parents ? demanda Angus.

— Pas encore, répondit Wiglaf.

Si ça se trouve, ils n'avaient pas reçu l'invitation. Ou bien ils ignoraient quel jour tom-
bait la Saint-Glinglin… Il jeta un regard cir-
culaire aux alentours. Où étaient-ils passés ?

— D'habitude, ma mère est toujours dans
les premières, marmonna Angus. Je me
demande ce qu'elle fabrique.

— Elle est peut-être coincée dans les
embouteillages. Le chemin du Chasseur est
très vite encombré, surtout quand il y a un
troupeau de moutons qui traverse.

— Tant mieux si elle ne vient pas, finalement. Comme ça elle ne me verra pas me ridiculiser dans le rôle de la princesse.

Soudain, Wiglaf sentit une odeur familière… une odeur de soupe au chou ! Effectivement Fergus et Molwena étaient en train de passer le portail. Molwena prit aussitôt une pincée de sel dans sa poche et la jeta par-dessus son épaule.

— Où il est donc, not' fiston ? tonna Fergus avant de lâcher un rot sonore.

— Père ! Mère ! Je suis là !

Wiglaf les rejoignit en courant, Angus sur les talons.

— Mon Wiglafou !

Molwena le serra dans ses bras, puis recula d'un pas pour le toiser.

— Toujours aussi maigrichon à ce que je vois !

Elle tira une flasque de la poche de son tablier et la lui tendit.

— Ma bonne soupe au chou va te remplumer un peu.

— Je vous présente mon ami Angus. Il va rester avec nous en attendant que sa mère arrive.

— Ah, en voilà un beau gars bien nourri ! s'exclama Molwena, admirative.

Angus sourit, touché par le compliment.

— Venez, je vais vous faire visiter l'école, proposa Wiglaf, espérant éviter Mordred.

Mais le directeur les avait déjà repérés.

— Une minute ! J'aimerais vous dire un mot, fit-il en accourant.

— Oncle Mordred, pourquoi maman n'est pas encore là ? le questionna Angus.

— Oups ! Je crois que j'ai oublié de l'inviter !

— QUOI ?

— Pas besoin d'en faire une histoire, Angus. De toute façon, Endivia déteste ce genre de cérémonie. Allez, pousse-toi. J'ai des choses à dire à ces paysans. Wiglaf, fais les présentations.

— Père, mère, j'ai l'honneur de vous

présenter Mordred le Merveilleux, notre
vénérable directeur, récita-t-il, répétant mot
pour mot ce que Mordred leur avait fait
répéter.

— Ah ouais, il est merveilleux, le
gaillard ?

Fergus se gratta sous le bras.

— Hé, mais votre tunique est tachée !
s'exclama-t-il.

— Père ! supplia Wiglaf. Pas maintenant.

— Hein ? Où ça ? s'inquiéta Mordred.

— Là ! répliqua Fergus en pointant le
doigt sur sa poitrine. On dirait de la morve.

— De la morve ? hurla le directeur, hor-
rifié.

Il baissa les yeux pour voir tandis que le
père de Wiglaf lui donnait une pichenette
au bout du nez.

— T'as une tache, pistache ! Ha, ha ! Une
vieille blague qui marche à tous les coups !

Angus se mordit les lèvres pour ne pas
éclater de rire, mais Wiglaf avait envie de
pleurer.

— Alors comme ça, vous êtes un plaisantin, Fergus de Pinwick ? rugit Mordred en tirant un mouchoir de sa poche pour s'essuyer le nez.

Ses yeux violets étincelaient de fureur.

— Et fier de l'être, répliqua le père de Wiglaf.

— Eh bien, je vais vous apprendre quelque chose, et ce n'est pas une plaisanterie, répliqua le directeur.

Mais soudain, il fronça le nez.

— Qu'est-ce que c'est que cette puanteur ?

— Ma soupe au chou, répondit Molwena. Faut pas se fier à l'odeur, c'est un délice. Vous voulez goûter, Messire le Merveilleux ?

— Non ! se récria Mordred. Si je veux m'empoisonner, j'ai largement de quoi faire ici. Bon, je voulais vous dire que votre fils n'a toujours pas payé ses sept sous de frais de scolarité.

— Ah bon ? fit Fergus en se grattant l'oreille.

— Tout à fait, confirma le directeur. Et si vous ne m'avez pas donné ces sept sous d'ici ce soir, je flanque votre fils dehors !

Chapitre six

Bienvenue à tous ! lança Mordred, perché sur le perron du château.

— Je n'en reviens pas qu'il n'ait pas invité ma mère, murmura Angus. Avec tante Lobelia, ils la détestent, mais ce n'est pas une raison. C'est quand même ma mère.

Wiglaf lui passa un bras autour des épaules.

— Comme ça, elle ne te verra pas en costume de princesse !

— Silence, je vous prie ! ordonna Mordred. L'un de nos élèves a composé un hymne de bienvenue. Éric ?

Érica s'avança en traînant les pieds, un drapeau aux armes de l'EMD dans chaque main.

« Pourquoi fait-elle cette tête-là ? » se demanda Wiglaf.

Agitant mollement les drapeaux, comme si elle avait à peine la force de les tenir, elle se mit à réciter d'une voix morne :

Bienvenue aux papas et aux mamans itou !
L'EMD a besoin de vous !
Ne lésinez pas surtout
Et donnez-nous tous vos sous !
Videz vos sacoches,
Retournez vos poches !
Lingots, pièces, bijoux ou broches,
Pierres précieuses ou liquide,
*   on empoche.*
Mais attention, on ne prend
Que l'argent sonnant et trébuchant.
Gardez vos chèques et vos cartes bleues,
Nous, c'est du massif, du cash
*   qu'on veut !*

Si vos fistons aiment l'EMD,
Alors va falloir payer !

Les parents applaudirent poliment.

— Ce n'est pas l'hymne qu'elle avait composé, remarqua Wiglaf.

— Laisse-moi deviner qui a écrit ça... Oncle Mordred ! soupira Angus.

Le directeur tapait dans ses mains, aux anges.

— Bien, je vais maintenant vous faire visiter notre école. Suivez-moi !

La foule lui emboîta le pas. Wiglaf et ses parents fermaient la marche avec Angus, tête basse.

Mordred scruta le groupe du regard.

— Où est donc passé ce charmant couple ? Le roi Ken et la reine Barb ? Éric, fais passer tes parents devant.

— Non, nous ne voulons pas de traitement de faveur, se défendit la reine. Nous apprécions de nous mêler à nos sujets de temps à autre.

Et elle se remit à agiter majestueusement la main.

— Humpf, grogna Mordred. Bon, voilà mon bureau.

Il tendit sa main chargée de bagues en or.

— C'est ici que je prends toutes les décisions importantes. Que j'imagine de nouveaux cours captivants pour intéresser nos petits élèves !

Mordred adressa un sourire mielleux aux parents.

— Maintenant, direction la grande galerie des Ancêtres de l'EMD.

Il leur montra le chemin.

— Voici les statues de Messires Hubert Vieudonjon et Isidore de Boutentrain, les pères fondateurs de l'école, précisa le directeur d'une voix feutrée.

Le reine Barb se pencha en avant, plissant les yeux.

— Regarde, Kenny. Ne serait-ce pas les voleurs qui ont dérobé la caisse de notre maison de retraite pour les chevaliers âgés ?

— Par ma barbe ! s'écria le roi Ken.

Mordred s'interposa vite entre le roi et les statues pour lui bloquer la vue.

— Leur culpabilité n'a jamais été prouvée ! s'écria-t-il. Et puis, de toute façon, ils n'ont pas vidé toute la caisse. Juste ce qu'ils pouvaient embarquer. Bref, voici l'un des nombreux mythes qui font l'histoire savoureuse de notre chère vieille école.

Le directeur accéléra le pas, pour ne s'arrêter que devant quelques salles de cours. En Traque des Cracheurs de feu, Érica montra aux parents ébahis comment ramper dans les marécages pour surprendre un dragon. Puis Messire Mortimer, responsable de l'Entraînement des Massacreurs, lui demanda d'exposer la technique du fameux « Coup dans le bidon ». En cours de Maniement des armes, elle surpassa les autres élèves par son habileté à l'épée. Tout le monde l'applaudit. Tout le monde sauf la reine Barb, remarqua Wiglaf.

— Par ici ! annonça Mordred en conduisant les visiteurs jusqu'aux escaliers de la Tour Nord. Nous allons maintenant visiter la bibl… Ah, nom d'un dragon ! Comment dit-on déjà ? Cet endroit rempli de machins poussiéreux…

— La bibliothèque, Messire, répondit Érica d'un air inquiet.

Le cœur de Wiglaf cognait à coups sourds. Mordred n'avait mis les pieds à la bibliothèque qu'une seule fois dans sa vie. Il ne savait même pas de quoi il s'agissait ! Wiglaf avait toujours pensé que c'était l'endroit le plus sûr de l'école pour y cacher Verso. Mais si les parents montaient la visiter, ils allaient découvrir le dragonnet !

Il lança un regard paniqué à son ami.

Angus haussa les épaules en signe d'impuissance, tandis que Mordred s'engageait dans les escaliers.

Soudain, Fergus se mit à crier :

— Toc-toc-toc !

Le directeur se retourna lentement et fixa le père de Wiglaf de ses yeux violets exorbités.

— Euh… qui est là ? bafouilla-t-il.

— Sam Eugène ! répliqua Fergus.

— Sam Eugène ? répéta Mordred. Sam Eugène qui ?

— Sam Eugène de monter toutes ces marches !

Élèves et parents poussèrent un grognement. Les yeux de Mordred étincelaient de fureur.

Mais le roi Ken éclata de rire.

— Par ma barbe, elle est bien bonne, celle-là. Il va falloir que je m'en souvienne, hein, Barb ?

— Ha-ha-ha, fit Mordred avec un enthousiasme forcé. Effectivement, il y a peut-être trop de marches à monter et je ne voudrais pas fatiguer inutilement nos visiteurs royaux.

Une lueur brilla dans ses pupilles violettes.

— Je sais ! Je vais vous emmener directement à la boutique de souvenirs.

Wiglaf jeta à son père un regard plein de gratitude. Il leur avait sauvé la mise ! Même s'il devait quitter l'école, Verso était en sécurité. Pour le moment, tout du moins.

À l'arrière du château, les visiteurs s'arrêtèrent devant une large porte surmontée d'un panneau « Échoppe officielle de souvenirs de l'EMD », peint en grandes lettres de couleurs vives.

Mordred les poussa à l'intérieur.

— Entrez, entrez ! Profitez-en, faites vos emplettes. Vous aussi, les enfants ! Choisissez un souvenir, je suis sûr que vos parents seront ravis de vous l'acheter !

Érica fut la première à entraîner son père et sa mère dans les rayons. Wiglaf et les autres suivirent.

— Oh, une tasse à jus d'anguille aux armes de l'EMD ! s'écria-t-elle. Tu me l'achètes, Mamounette ?

Elle parcourut les étalages.

— Tiens, une plume d'oie aux initiales de l'EMD, ce serait bien pour toi. Et voilà une flasque d'hydromel gravée avec l'écusson de l'école. Parfait pour Papounet !

— Épatant, par ma barbe ! s'exclama son père.

— Mon cœur, repose-moi donc tout ça, ordonna sa mère.

— Hein ? Mais pourquoi ?

La reine Barb soupira.

— Tu n'as toujours pas abandonné ce rêve ridicule de devenir Massacreuse de Dragons, poussin ?

— Jamais ! Je me plais beaucoup ici. J'ai reçu la médaille du meilleur apprenti Massacreur du mois plus souvent que n'importe quel autre élève. Pas vrai, Wiglaf ? Pas vrai, Angus ?

Les deux garçons acquiescèrent.

— Nous avons quelque chose d'important à te dire, mon cœur. N'est-ce pas, Kenny ?

– Ouais, faut la remplir, par ma barbe ! s'écria le roi en brandissant la flasque d'hydromel.

– Viens, allons discuter un peu au grand air.

Après avoir adressé un petit signe de la main à ses sujets, la reine sortit du magasin.

En passant, Érica lança un regard anxieux à ses amis.

– Je n'aime pas ça du tout…, murmura-t-elle.

– On vient te rejoindre dès que possible, promit Wiglaf.

La boutique était bondée. On pouvait à peine respirer. Les parents se jetaient sur les tuniques EMD, les chausses EMD, les casques EMD en taille S, M, L ou XL. Les étagères proposaient des portraits du directeur de l'EMD, également en taille S, M, L ou XL. Il y avait des mugs EMD. Des magnets pour frigo EMD. Des porte-clés EMD et des bougies parfumées EMD.

Wiglaf se demanda ce qu'elles pouvaient bien sentir… le moisi ? la crotte de souris ? la vieille chaussette ?

Enfin, Angus et Wiglaf réussirent à se faufiler hors du magasin et sortirent dans la cour où se tenait le pique-nique.

— Tu n'as qu'à manger avec nous, proposa Wiglaf à son ami en se dirigeant vers les grandes nappes à carreaux étalées sur la pelouse.

— Je n'ai pas faim, répondit-il, morose. Ma mère ne vient pas. Je vais me ridiculiser dans cette maudite pièce. C'est le pire jour de toute ma vie.

Angus n'avait pas faim ? Il devait vraiment avoir le moral dans les chausses.

— Ce n'est pas la joie pour moi non plus, compatit Wiglaf.

Érica et ses parents étaient déjà installés autour d'une nappe bleu roi. En approchant, Wiglaf remarqua que son amie avait les yeux rouges et gonflés. Comme si elle avait pleuré. Pourtant, Érica ne pleurait jamais.

Elle se leva d'un bond en les apercevant.

— Il faut que je vous parle. C'est le pire jour de toute ma vie.

Ils se cachèrent dans un petit recoin de la muraille.

Érica s'essuya les yeux et annonça d'une voix tremblante :

— Je vais devoir quitter l'école. Mes parents m'ont inscrite au Pensionnat des Petites Princesses !

Chapitre sept

Vous allez tous les deux quitter l'école ? gémit Angus. Et je vais rester ici tout seul ?

— Franchement, crois-moi, je n'ai aucune envie de partir, soupira Érica.

— Moi non plus, renchérit Wiglaf. Je me plais bien ici.

— Mamounette m'a avoué qu'elle m'avait laissée venir à l'EMD pour me dégoûter de devenir Massacreuse de Dragons, expliqua Érica en reniflant. D'après elle, je ne pourrai jamais être un chevalier puisque je suis une princesse. Mais je ne veux pas être une princesse !

— Je sais exactement ce que tu ressens, murmura Angus.

— Elle dit qu'il est temps que je me comporte selon mon rang. Voilà le genre de cours que je vais suivre au Pensionnat des Petites Princesses : cours de Regard hautain, de Démarche princière ou de Techniques pour donner des ordres à ses sujets. Beurk !

— Estime-toi heureuse. Toi au moins, tu ne vas pas te retrouver dans une masure avec douze frères qui n'arrêtent pas de te taper dessus, maugréa Wiglaf.

— Je ne sais pas ce qui est le pire, reconnut-elle. Oh, il faut qu'on trouve un moyen de rester ici !

Lorsqu'ils revinrent vers les nappes de pique-nique, Wiglaf fut surpris de voir la reine Barb prendre une cuillerée de la soupe au chou de Molwena.

— Intéressant…, fit-elle quand elle eut réussi à avaler. Kenny chéri, tu veux goûter ?

— Par ma barbe, Barb ! Fergus est en train de m'apprendre cette fameuse blague.

— Alors le gars répond : « Sam Eugène qui ? », d'accord ? répétait-il.

Décidément, pensa Wiglaf, ses parents avaient l'air parfaitement à leur aise en compagnie du couple royal.

Au moment du dessert, Mordred reparut pour déclamer son discours sur la nécessité de faire des dons généreux pour les caisses de l'EMD.

Il s'éclaircit la gorge avant de se lancer :

— Vous souhaitez que votre fils n'ait que des *A* ? Pas de problème. Vous désirez que le réfectoire de l'école soit baptisé en votre honneur ? C'est possible. Ou bien vous rêvez d'une grande plaque de cuivre frappée à vos armes sur une de nos tourelles ? Rien de plus simple. Il vous suffit de…

— Toc-toc-toc ! le coupa Fergus.

— Quoi encore ? Oh, bon… Qui est là ? répliqua Mordred de mauvaise grâce.

— Quentin ! s'écria le père de Wiglaf.

— Quentin qui ?

— Quentin de nos fils va-t-il nous rapporter l'or d'un dragon ?

— Oui, c'est vrai ça, quand ? s'écrièrent les autres parents. C'est ce que promettaient les affiches de votre école !

— Nos fistons sont censés massacrer des dragons et leur voler leur gros tas d'or pour qu'on devienne riches ! rappela une mère.

Les parents se mirent à crier :

— On veut notre or ! On veut notre or !

Mordred était rouge brique.

— Soyez patients ! Vos enfants commencent tout juste à apprendre l'art de massacrer des dragons. Cela prend du temps ! Bref, comme je disais, pour avoir une plaque de cuivre gravée à votre nom dans le hall du château, il vous suffit de…

— Toc-toc-toc ! recommença Fergus.

Les yeux violets de Mordred brillèrent d'un éclat menaçant.

— Qui est là ?

— Édith.

— Édith qui ?

— Édith nous quand on va toucher notre or ! insista Fergus.

— Ouais ! Ouais ! acquiescèrent les autres parents. On veut notre or. On veut notre or.

Mordred était carrément rouge violacé.

— Vous êtes sacrément culotté ! tonna-t-il. Vous me devez sept sous et c'est vous qui osez réclamer ! Où est passé Maître Sans-Tête qu'il me mette ce malotru dehors ? !

Mais, juste à ce moment-là, le roi Ken prit la parole :

— Quel sacré farceur, ce Fergus ! Par ma barbe, cette école devrait proposer un cours sur l'art de raconter les blagues !

Fergus sourit.

— Vous en voulez encore ? Pas de problème !

— Par ma barbe, oui, allez-y !

— Toc-toc-toc !

Cette fois, c'est le roi Ken qui répondit :

— Bonjour !

– Non, non, il faut répondre : « Qui est là ? », lui rappela le père de Wiglaf.

– Ah oui, c'est vrai !

– Toc-toc-toc !

– Encore vous ? s'écria le roi Ken.

– Quel crétin, par les culottes du roi Ken ! s'exclama Fergus.

Un silence de mort se fit dans la cour du château. Wiglaf faillit s'étouffer avec sa mousse d'anguille de douves. Son père avait insulté le roi ! Il allait être jeté en prison ! Ou peut-être mis aux fers !

Le roi se leva lentement.

– Par ma barbe ! C'est exactement ce qu'a dit Barb a dit le jour où mon royal postérieur a pris feu.

– Racontez-nous, sire ! supplia Molwena.

– Oh oui, oh oui ! réclamèrent les autres parents.

– D'accord, allez-y, racontez, fit Mordred, agacé, en s'essayant sur les marches du perron.

Le roi Ken sourit.

— Quoi donc, par ma barbe ?

La reine Barb se leva.

— Je vais raconter cette anecdote à
nos loyaux sujets, Ken, proposa-t-elle en
les saluant de la main. C'était par un hiver
froid et glacé, Kenny était allé se promener
et il est revenu avec l'arrière-train congelé.
Il ne sentait plus rien du tout. Dur comme
de la pierre.

— Maman ! protesta Érica.

— En rentrant à la maison, poursuivit la
reine, Ken a essayé de se réchauffer le derrière devant le feu. Ses fesses étaient un vrai
bloc de glace.

— Mamounette, ça suffit, arrête, supplia
Érica.

— C'est alors que je suis arrivée… et heu-
reusement ! Le pauvre Kenny était trop près
de la cheminée. Ses chausses s'étaient
enflammées ! Alors j'ai hurlé : « C'est ce
qu'on appelle avoir le feu aux fesses, par… »

— … les culottes du roi Ken ! compléta la
foule rassemblée dans la cour.

La reine Barb hocha la tête.

— Tout à fait ! Les domestiques ont accouru pour l'asperger d'eau. Ils l'ont sauvé. Mais ils n'ont pas pu sauver sa culotte. Nous avons fait encadrer ce qu'il en restait sur un fond de velours rouge. Elle est exposée au château. La visite est ouverte à tous, nous vous attendons de neuf heures à dix-huit heures.

Avec un dernier petit geste de la main, la reine se rassit.

Wiglaf jeta un regard à Érica. Elle avait la tête entre les mains. Visiblement, ses parents avaient beau être roi et reine, ils lui faisaient honte quand même !

Mordred se releva.

— Quel plaisir d'entendre cette charmante anecdote royale. Bien, Dame Lobelia me signale qu'il est temps que les élèves se préparent pour la pièce. Quant à vous, très chers parents, restez donc où vous êtes.

— Vous allez adorer la pièce, promit Wiglaf à ses parents. J'ai le premier rôle.

— Tiens, ça te portera chance ! lui dit sa mère en jetant une pleine poignée de sel par-dessus son épaule.

Wiglaf et ses amis se dirigèrent vers le théâtre. Tandis qu'il s'éloignait, Wiglaf entendit Mordred reprendre :

— Très, très chers parents ! Vous souhaitez que votre fils n'ait que des *A* ? Pas de problème. Vous désirez que le réfectoire de l'école soit baptisé en votre honneur ? Tout à fait possible…

Chapitre huit

Wiglaf s'assit dans les coulisses. Il enfonça son petit casque sur son crâne.

— Je n'ai pas envie de partir… Tu vas me manquer, Angus.

— Vous allez me manquer doublement, Érica et toi.

Angus s'agenouilla devant lui, dans sa longue robe mauve.

— Tu peux me la boutonner, s'il te plaît ?

Wiglaf venait juste de commencer lorsque Érica les rejoignit, une grosse boîte sous le bras.

— Tiens, Wiggie, c'est l'armure neuve

que j'ai commandée dans le catalogue de Messire Lancelot. Je n'en aurai pas besoin là où je vais. Tu n'as qu'à la mettre pour la pièce.

Il sourit, ravi, en prenant la belle armure argentée.

— Merci, Érica.

Il se changea vite.

Érica enfila sa tunique de paysan par la tête.

— Je n'arrive pas à croire que je vais partir d'ici ! En plus, ma cousine Pestila est au Pensionnat des Petites Princesses. Je la déteste, ça va être l'horreur.

Wiglaf mit le casque flambant neuf. Il brillait de mille feux et sa plume était bien droite. Il essaya la visière, la leva puis la rabaissa.

— On dirait un vrai chevalier comme ça ! s'exclama Angus.

Il posa la couronne sur sa perruque blonde aux longues tresses. Pauvre Angus ! On aurait dit qu'il allait vomir !

— Oh, Angus ! s'extasia Dame Lobelia. Tu vas faire une bien jolie petite princesse !

— Ça m'étonnerait ! gronda une voix tonitruante.

En se retournant, Wiglaf découvrit une femme de forte carrure vêtue d'une longue robe mauve qui ressemblait à s'y méprendre à celle que portait Angus. Et elle avait elle aussi d'interminables nattes blondes.

— Maman ! s'écria Angus. Tu es venue !

— Et j'arrive juste à temps, à ce que je vois, déclara Dame Endivia. Il n'est pas question que tu montes sur scène dans cet accoutrement ridicule.

— Oncle Mordred m'a dit qu'il ne t'avait pas invitée.

— Non, un paysan que j'ai croisé sur le chemin du Chasseur m'a appris la nouvelle ce matin. Bien entendu, je suis venue immédiatement.

Elle toisa son fils.

— Allez, ôte-moi ces frusques, mon petit gars.

Angus sourit.

— Je suis vraiment content que tu sois là, maman.

— J'imagine que tu es fière de toi, Lobelia, reprit Dame Endivia. Tu as fait ça pour m'humilier ?

— Bien sûr que non, Endivia ! Angus tient l'un des rôles principaux, il joue la princesse !

— Pas question !

Érica s'approcha pour aider Angus à enlever sa robe.

— Tu vas gâcher toute ma pièce, Endivia, comme tu as gâché ma vie, sanglota Lobelia. Il est trop tard pour lui trouver un remplaçant. Les parents sont là. Comment vais-je faire ?

Sa sœur l'ignora.

— Viens, Angus. Allons nous asseoir dans la salle. Ça va être amusant.

— Le spectacle doit continuer ! décréta Dame Lobelia. Mais comment ?

Wiglaf donna un coup de coude à Érica.

— Tu n'as qu'à le faire. Tu connais tous les rôles par cœur.

Soudain, il eut un éclair de génie.

— Si tu montrais à tes parents que tu es une princesse-née, qui sait, peut-être décideraient-ils que tu n'as pas besoin d'aller au Pensionnat des Petites Princesses pour apprendre ?

Un sourire se dessina sur les lèvres de son amie.

— Ça pourrait marcher…

Elle bondit sur ses pieds et se posta devant Dame Lobelia.

— Je vais jouer la princesse, proposa-t-elle.

Elle arracha sa tunique de paysan et enfila la robe mauve.

Wiglaf était heureux de voir son amie reprendre espoir. Angus n'allait pas être obligé de jouer la princesse. Maintenant, il fallait qu'il trouve un moyen de persuader Mordred de le garder à l'EMD, et tout rentrerait dans l'ordre.

De l'autre côté du rideau, il entendait les parents qui s'installaient. Et soudain, il réalisa qu'il allait jouer devant des centaines de personnes ! Son cœur se mit à battre la chamade tandis que Lobelia s'avançait sur la scène pour faire son petit discours de présentation.

— J'ai le plaisir de vous présenter ma pièce, *Les Aventures du minuscule Messire Petitcul*, écrite et mise en scène par votre serviteur !

Le rideau se leva et Messire Petitcul entra en scène sur son balai-cheval. Ses valeureux compagnons suivaient, chevauchant eux aussi leurs balais. Les paysans entonnèrent leur chant :

Tralaïtou laïtou lala !
Tralaïtou laïtou lalère !

Bien vite, Messire Petitcul et ses valeureux compagnons se retrouvèrent devant la grotte où le dragon retenait la princesse prisonnière. Wiglaf se mit à chanter :

Sous le nom de Messire Petitcul
Dans tout le pays je suis connu
Pour avoir massacré mille dragons.
Ne vous fiez pas à mon nom.
Je ne suis certes pas grand,
Mais je suis fort vaillant !
Alors sors, dragon,
Si tu es digne de ce nom !

— C'est mon fiston ! s'exclama Fergus, tout fier, afin que chacun puisse l'entendre.

Wiglaf rougit, mais ça lui fit chaud au cœur.

Les valeureux compagnons du chevalier reprirent le refrain :

Il n'est certes pas grand,
Mais il est fort vaillant !

C'était là que les quatre frères Crétin devaient entrer en scène dans leur costume de dragon. Mais... où étaient-ils passés ?

Wiglaf s'éclaircit la voix et chanta les deux derniers vers de sa chanson, plus fort cette fois :

Alors sors, dragon,
Si tu es digne de ce nom !

Toujours pas de dragon en vue.

Tout à coup, Wiglaf entendit remuer dans son dos. Ouf ! les frères Crétin arrivaient enfin.

Il tira son épée.

Un cri étouffé monta du public.

Les spectateurs retenaient leur souffle.

— C'est un vrai ou quoi ? murmura quelqu'un.

Juste à ce moment, la visière du casque de Wiglaf retomba devant ses yeux. Il entendit crier :

— Au secours ! Filons !

On aurait dit les voix de ses valeureux compagnons. Mais pourquoi fuyaient-ils ? Ce n'était pas dans le texte. Qu'est-ce qui se passait ?

Wiglaf releva sa visière et se retourna. Il écarquilla les yeux. Cette tête verte, au bout d'un long cou vert, sur un corps couvert d'écailles vertes… Cette langue rose et fourchue… Ces longues canines blanches et pointues… Ces yeux jaunes avec une pupille rouge cerise… Ce n'était pas un costume de dragon.

– Par les culottes du roi Ken ! s'écria Wiglaf.

C'était Verso !

Chapitre neuf

Verso traversa la scène et rejoignit Wiglaf d'un bond. Il avait envie de jouer !

L'apprenti Massacreur était pétrifié. Que faire ? Dame Lobelia répétait sans cesse : « Le spectacle continue ! », à lui de se débrouiller pour ne pas interrompre la pièce, maintenant.

Il tira son épée et la brandit dans les airs.

— N'ayez crainte, Messire Petitcul est là !

Le public l'acclama.

— Quel courageux chevalier ! Bravo ! tonna Dame Endivia.

— C'est moi, Verso, glissa Wiglaf entre ses dents. C'est man-man.

Puis il entonna sa chanson pour défier le dragon :

Tralaïtou laïtou lala !
Tralaïtou laïtou lalère !
Ha, ha, dragon, tu fais moins le fier,
Mordre Petitcul, tu n'oserais pas.

Tandis que de nouvelles acclamations s'élevaient du public, Wiglaf ordonna à Verso :

— Feu !

Deux flammes jumelles jaillirent de ses naseaux.

WOUSH !

L'apprenti Massacreur continua à exciter le dragon pour qu'il crache du feu durant toute la chanson. Il agitait son épée, galopait d'un bout à l'autre de la scène sur son cheval de fortune, et lorsque le moment fut venu de « tuer » le dragon, il eut une idée. D'une voix douce, il susurra :

— Une caresse, Verso ?

Le dragon se laissa tomber à terre et roula sur le dos. Wiglaf leva son épée et fit semblant de le massacrer. Puis il s'agenouilla, comme pour examiner sa proie, et caressa le ventre blanc et chaud de Verso.

— Mmmmm, ronronna gaiement le petit dragon.

Toujours à genoux, Wiglaf entonna l'air de la princesse :

Messire Petitcul est mon nom,
Et j'ai tué ce vil dragon.
Sortez sans crainte, princesse,
Nul risque qu'il ne vous blesse.
Je ne suis certes pas grand,
Mais je suis fort vaillant !

Dans les coulisses, ses valeureux compagnons reprirent en chœur :

Il n'est certes pas grand,
Mais il est fort vaillant !

La princesse entra en scène côté cour, dans sa longue robe mauve. Elle avançait d'une démarche princière, tête haute. Elle s'arrêta et fixa Wiglaf d'un regard hautain. Couvrant le doux ronronnement de Verso, elle se mit à chanter :

Je suis la princesse Belinda.
Ce dragon ne fera plus aucun dégât.
Certes vous êtes petit,
Mais vous m'avez sauvé la vie !

Ses dames d'honneur apparurent et se joignirent au chant :

Certes vous êtes petit,
Mais vous lui avez sauvé la vie !

C'était le moment où Messire Petitcul devait prendre la main de la princesse et danser avec elle.

— Pas bouger, chuchota Wiglaf à Verso.

Le dragon resta sur le dos, parfaitement immobile.

L'apprenti Massacreur se releva, prit la main d'Érica et ils se mirent à danser. Wiglaf détestait ce passage de la pièce. Angus ne pouvait pas esquisser deux pas sans lui écrabouiller les pieds. Mais Érica évoluait avec légèreté, et ses orteils s'en tirèrent sains et saufs.

Les valeureux compagnons revinrent sur scène. La princesse ordonna à ses dames d'honneur de danser le quadrille de la jarretière avec eux. Ils se mirent à tournoyer autour de Verso qui ne remuait pas un cil.

La danse finie, les acteurs se tournèrent vers le public et chantèrent tous en chœur :

Tralaïtou laïtou lala !
Tralaïtou laïtou lalère !
Nous espérons avoir su vous plaire,
Avec notre pièce, tralala lala !

Toute la salle se leva pour les applaudir et les acclamer alors que le rideau retombait.

— C'est mon fiston, Wiglaf ! criait Molwena.

— Gardez ce nom en mémoire ! renchérit Endivia. Un jour, il sera célèbre !

Pendant que les paysans saluaient, Wiglaf s'approcha de Verso.

— C'est bien. Maison, maintenant !

Le petit dragon roula sur le côté, se releva d'un bond et lécha la joue de son maître. Wiglaf le poussa vers la porte du fond de l'ancien cachot.

— Va retrouver Frère Dave ! Allez, file ! Je passerai te voir tout à l'heure.

Puis, vite, il s'avança sur la scène pour saluer. Il prit la main d'Érica et, tandis qu'elle faisait la révérence, s'inclina. Il avait vraiment l'impression d'être une star. Il avait beau jouer le minuscule Messire Petitcul, le public l'adorait.

Après six rappels, la troupe offrit à Dame Lobelia un énorme bouquet de roses et, enfin, les applaudissements se turent.

— Bravo, les petits gars ! les félicita

Mordred qui s'était rué dans les coulisses. Ha, ha ! Ça va encourager vos parents à vider leurs poches pour notre bonne vieille école.

Il rayonnait.

— Ne vous pressez pas pour vous rhabiller, j'ai envoyé vos parents faire un tour à l'Échoppe officielle de souvenirs de l'EMD. Une dernière chance de faire leurs achats avant la cérémonie des adieux dans la cour du château… et après ça, ouste, à la maison, Wiglaf ! ajouta-t-il avec un sourire mauvais avant de s'éloigner.

Lobelia avait prévu des biscuits pour faire une petite fête avec la troupe. Wiglaf en prit quelques-uns.

— Je ne peux rien avaler, mais Verso a bien mérité une récompense, expliqua-t-il à Érica d'un ton abattu. En plus, c'est sans doute la dernière fois que je le vois.

— J'aimerais aussi lui dire au revoir, soupira-t-elle. On n'a qu'à monter maintenant, Wiggie.

Mais avant qu'ils aient pu ôter leurs costumes, Angus et Endivia les rejoignirent dans les coulisses.

— Bien joué, Messire Petitcul, le congratula Endivia. Une vraie graine de star.

Elle se tourna vers Érica.

— Quant à toi, tu fais une princesse parfaite.

— J'espère que mes parents seront du même avis, répondit-elle en souriant.

— Quand Verso… euh, je veux dire, quand le dragon a surgi sur scène, tu t'es débrouillé comme un chef, dit Angus à Wiglaf. Et devine quoi ?

Il brandit un grand sac en toile de jute.

— Ma mère m'a apporté des friandises, on va pouvoir faire un festin dans le dortoir ce soir.

Le sourire de Wiglaf s'évanouit.

— Mais… mais je ne dors pas ici, ce soir, tu as oublié ?

— Pourquoi donc ? s'étonna Endivia.

— Je n'ai jamais payé mes frais de scolarité, murmura-t-il. Le directeur m'a renvoyé.

— C'est ridicule ! s'emporta-t-elle. Mon crétin de petit frère est franchement pénible.

Wiglaf aperçut son père et sa mère qui venaient à sa rencontre.

Fergus lui assena une grande claque dans le dos.

— Bravo, fiston !

— Comment avez-vous fait pour le dragon ? voulut savoir Molwena. On aurait dit un vrai.

— Hum… ce serait long à expliquer, bafouilla Wiglaf.

— Mon cœur ! le coupa la reine Barb qui arrivait en courant pour féliciter sa fille. Quel spectacle !

— Ça vous a plu ? demanda Érica.

— Par ma barbe ! s'enthousiasma le roi Ken.

— Je vous présente mon fiston, lui dit Fergus en continuant à tapoter le dos de Wiglaf.

— Par ma barbe ! répéta le roi Ken.

— Mamounette, tu trouves que j'ai bien réussi le regard hautain ? demanda Érica à la reine Barb.

— À la perfection !

— Et ma démarche princière ?

— Divine ! la félicita la reine.

— Et tu as aimé la manière dont je donnais des ordres à mes dames d'honneur ?

— Je n'aurais pas fait mieux moi-même, reconnut-elle.

— Je suis une princesse-née, Mamounette. Tu l'as vu de tes propres yeux.

— Oui…, fit la reine.

— Alors je n'ai pas besoin d'aller au Pensionnat des Petites Princesses.

— Mm, tu as peut-être raison…

La reine Barb se tourna vers son mari.

— Qu'en dis-tu, Kenny ? Tu penses qu'on peut la laisser à l'EMD ?

— Par ma barbe, Barb, tu me barbes. Oui, qu'elle reste ici !

Le visage d'Érica s'illumina. Jamais Wiglaf ne l'avait vue aussi heureuse.

« Tout est bien qui finit bien pour Érica, pensa-t-il en ôtant son casque étincelant. Pour Angus aussi. Bah, deux sur trois, ce n'est déjà pas si mal. »

Chapitre dix

Tout le monde se rassembla dans la cour du château. De nombreux parents avaient les bras chargés de sacs de l'Échoppe officielle de souvenirs de l'EMD. Wiglaf se rendit au corps de garde où Lobelia et Mordred saluaient les parents. Au passage, le directeur leur tendait une grande bourse ouverte pour y jeter leur menue monnaie.

— Je suis venu vous faire mes adieux, Dame Lobelia, dit Wiglaf. Au revoir, Messire le directeur. J'ai appris beaucoup de choses à l'EMD.

— Évidemment, mon petit gars. Si tu

économises sur la nourriture, les vêtements, les médicaments, tout ça, tu pourras peut-être réunir sept sous pour revenir ici.

— Ce serait bien, reconnut Wiglaf.

— Mordred ! tonna une voix.

Cette fois, Wiglaf n'eut pas besoin de se retourner pour savoir qu'il s'agissait d'Endivia.

— J'aimerais te dire un mot, petit frère !

— Endivia ! gémit le directeur. Comment as-tu appris… hum, je suis ravi que tu aies reçu mon invitation.

— Tu sais très bien que tu ne m'en as pas envoyé, Mordilou, rugit-elle. Bref… Qu'est-ce que c'est que ces sornettes ? Tu veux renvoyer Wiglaf ?

— Mais il ne m'a pas payé, bredouilla Mordred d'une petite voix.

— Eh bien, je crée ici et maintenant la bourse Endivia pour les jeunes acteurs talentueux.

Elle plongea la main dans son sac et en tira une poignée de pièces.

Le cœur de Wiglaf se gonfla de joie tandis qu'elle comptait : « un, deux, trois, quatre, cinq, six, sept » en les faisant tomber dans la paume de Mordred.

— Voilà, Mordilou. C'est réglé, il reste.

— Merci ! s'écria Wiglaf. Merci ! Hip, hip, hip hourra pour les grandes sœurs autoritaires !

— Oui, merci, Endivia, marmonna Mordred d'un ton penaud.

La mère d'Angus se pencha vers Wiglaf.

— N'oublie pas de réclamer un reçu, lui conseilla-t-elle.

— D'accord, Dame Endivia.

Wiglaf se retourna pour faire de grands signes à ses parents.

— Père ! Mère ! Devinez quoi ?

Lorsqu'il apprit la nouvelle, Fergus redonna une grande claque dans le dos de son fils.

— Félicitations, fiston. On compte sur le Merveilleux pour te renvoyer à la maison avec un gros tas d'or, pas vrai ?

— Tu feras un preux chevalier, Wiglaf, assura sa mère en le serrant contre elle. Adieu, fiston. Méfie-toi des chats noirs. Et si le ciel tombe, cours t'abriter, promis ? Tiens, prends une cuillerée de soupe avant qu'on s'en aille.

Wiglaf obéit. Il était tellement heureux qu'il lui trouva presque bon goût.

Molwena, radieuse, se tourna vers son mari.

— Allons-y, Fergie. Sinon on n'aura pas le temps de s'arrêter à Trouillemont pour voir le poulain à deux queues qui est né la semaine dernière.

— C'est parti ! annonça Fergus en lâchant un rot si sonore que Wiglaf sentit la terre trembler.

Alors que ses parents s'éloignaient, Wiglaf vit arriver Corentin Crétin, surexcité.

— Il est génial, ton père ! Tu sais roter comme ça, toi aussi ?

Wiglaf secoua la tête.

— Non…

— Oh, dommage !

Endivia fit ses adieux à tous les amis de son fils. Puis elle se tourna vers lui.

— Au revoir, Angus. Régalez-vous bien avec les friandises. Je vous en renverrai bientôt.

— Au revoir, maman. Merci pour tout.

Après son départ, deux chevaux blancs comme neige entrèrent dans la cour au grand galop, tirant le carrosse doré. Il s'arrêta devant la reine Barb et le roi Ken, et le couple royal monta à l'intérieur.

Ils firent un tour dans la cour pour que la reine puisse saluer ses sujets, la tête à la portière.

— Adieu, chers sujets ! lança-t-elle en agitant majestueusement la main. Au revoir, Éric.

Érica sourit.

— Salut, Mamounette ! Salut, Papounet !

Le roi Ken sortit la tête du carrosse en braillant :

— Toc-toc-toc !

Tout le monde répondit :

— Qui est là ?

— Aucune idée, par ma barbe, répondit le roi. Au revoir !

— Au revoir ! Au revoir ! crièrent les élèves en leur faisant signe.

Wiglaf regarda autour de lui. Il était entouré d'élèves, de professeurs, de professeurs stagiaires, mais il n'y avait plus un seul parent dans la cour.

— On a survécu à la journée portes ouvertes ! s'écria Angus.

— On a résolu tous nos problèmes ! ajouta Érica.

Alors qu'il ouvrait la bouche pour renchérir, Wiglaf aperçut une silhouette verte perchée sur la tour de la bibliothèque, comme une gargouille. C'était Verso.

— Tous nos problèmes… ou presque.

Kate McMullan vit à New York avec son mari et leur fille. Quand elle était petite, elle rêvait d'être lectrice professionnelle et dévorait alors les ouvrages de la bibliothèque municipale. Après ses études, elle a enseigné quelques années tout en commençant à écrire pour les enfants. Afin de pouvoir se rapprocher du monde des livres qui la fascinait tant, elle a décidé de devenir éditrice et est partie tenter sa chance à New York. C'est là qu'elle a rencontré son mari, l'illustrateur Jim McMullan, avec lequel elle a collaboré par la suite. Elle a publié à ce jour plus de soixante-dix livres pour la jeunesse et sa série les Massacreurs de Dragons est l'un de ses plus grands succès. Pour créer ses personnages et leurs aventures, elle reconnaît avoir puisé directement dans ses souvenirs de collégienne. C'est pourquoi, quand elle se rend dans les écoles, Kate McMullan conseille aux apprentis écrivains de prendre pour point de départ leur propre vie et leurs propres expériences.

Bill Basso est né et a vécu longtemps dans le quartier de Brooklyn, à New York. Il vit à présent dans le New Jersey, avec sa femme et leurs trois enfants. Après des études d'art et de design, il a illustré de nombreux livres pour la jeunesse et collabore régulièrement à des revues destinées aux enfants.

du sang, n'a que quelques heures pour se préparer à l'affronter…

3. La caverne maudite
(n° 410)

Les élèves de l'École des Massacreurs de Dragons partent camper dans la forêt des Ténèbres ! Les apprentis Massacreurs sont chargés d'une mission périlleuse : retrouver la grotte où Sétha, la redoutable Bête de l'Est, a caché son trésor. Wiglaf s'arme donc de tout son courage et, avec ses amis Angus et Érica, il suit le professeur Baudruche dans une aventure à mourir… de rire !

4. Une princesse pour Wiglaf
(n° 417)

« L'élu de mon cœur aura les cheveux roux, son prénom commencera par un W, et il sera un Massacreur de Dragons ! » a décidé la princesse Rototo. Mordred, le directeur de l'école, pense que Wiglaf est le candidat idéal. D'autant que celui qui présentera à la princesse son futur époux sera récompensé par une marmite pleine d'or. Mais Wiglaf n'a pas du tout l'intention de se marier !

5. Le chevalier Plus-que-Parfait
(n° 442)

Un grand concours a été organisé à l'École des Massacreurs de Dragons. Le prix de la victoire : rencontrer Messire Lancelot, le plus parfait chevalier de tous les temps. Lorsqu'il apprend qu'il est l'heureux gagnant, Wiglaf n'en revient pas. Le grand jour arrive enfin mais Messire Lancelot ne semble pas aussi parfait qu'il y paraît…

6. Il faut sauver Messire Lancelot !
(n° 443)

La fée Morgane a jeté un terrible sort à Messire Lancelot. N'écoutant que leur courage, Wiglaf et ses amis se lancent à sa recherche. Mais la forêt des Ténèbres regorge de pièges et d'obstacles. Les apprentis Massacreurs viendront-ils à bout des trolls, sorcières et autres créatures malfaisantes qui se dressent sur leur chemin ?

7. Le tournoi des Supercracks
(n° 460)

Wiglaf, Angus et Érica vont représenter l'EMD au tournoi interécoles des Super-cracks. Le prix ? Une immense coupe en or remplie d'autant de pièces d'or que l'équipe a gagné de points. Réussiront-ils à vaincre les Parfaits Chevaliers, les élèves qui depuis 99 ans remportent le concours ?

8. La prophétie de l'an 1000
(n° 470)

Bientôt le passage à l'an 1000, la fin du monde est proche ! Un avis a été placardé sur tous les arbres de la forêt. Mais le comte Pochepleine a trouvé le moyen d'empêcher la terrible prophétie de se réaliser : fabriquer un Hippopotame d'Or en demandant à chacun de participer. Wiglaf, Angus et Érica rencontrent alors un étrange garçon qui vient du futur…

9. Dressez votre dragon en 97 leçons (n° 483)

Mordred, le directeur de l'École des Massacreurs de Dragons, lance un Défi-Ménage pour la visite des inspecteurs académiques. Wiglaf et Angus, affectés à la Patrouille Poubelle, font alors une étrange découverte : un œuf énorme et mystérieux d'où éclôt bientôt un dragonnet. Les deux amis se transforment en baby-sitters de dragon et décident de le dresser. Mais leur protégé devient vite très encombrant. Et qu'adviendra-t-il si Mordred le trouve ?

Et découvre aussi d'autres héros de séries…